KB082358

영시 쓰기 클래스

Class for Writing English Poetry

영시 쓰기 클래스

Class for Writing English Poetry

장현정 지음

차례

1강 - 간단한 문장 표현 연습

영어로 문장을 쓰기 위해서는 기본적으로 문법의 체계를 익히고 다양한 표현을 더하고 그리고 필요한 단어를 사용할 수 있도록 공부해야 한다.

그 후에는 실제로 자기의 관심사부터 시작해서 보다 다양한 범주의 영작이 가능해질 수 있다. 중요한 것은 자기가 표현하고자 하는 바를 영어 문장으로 제대로 표현하는 일이다.

영어 문장은 하나의 독립절(주절)로 이루어진 단문, 두 개 이상의 독립절(주절)을 등위접속사(and, but, or, so)로 연결한 중문, 하나의 독립절(주절)과 하나 이상의 종속절로 된 복문이 있다.

중복문이 있긴 하지만 실제로 우리가 영어를 사용할 때 단문, 중문, 복문에 대해서 자유롭게 응용하여 사용하는 과정에서 중복문이 사용되기 때문에 그 자체의 복잡함을 굳이 이해할 필요는 없다.

문장의 구조에 맞게 문장을 쓰는 연습을 해보자.

① Love means efforts towards dreams.
② She studied English yesterday and her brother watched a movie yesterday.
③ Belief is that somebody has their own goals.

①은 주어/동사가 갖추어진 단문이다. ②는 두 개의 독립절이 등위접속사인 and로 연결된 중문이다. ③은 하나의 독립절인 Belief is~가 종속절인 that절로 연결된 복문이다.

[해석]
① 사랑은 꿈을 향한 노력을 의미한다.
② 그녀는 어제 영어를 공부했고 그녀의 남동생은 어제 영화를 보았다.
③ 신념이란 자기 자신의 목표를 갖추는 것이다.

단문/중문/복문에 대한 연습을 계속해볼 필요가 있다. 한 번 더 연습해보자.

① Animals like to eat something.
② He likes swimming but his sister likes hiking.
③ Honey is produced in the areas where flowers bloom.

①은 주어/동사가 갖추어진 단문이다. ②는 두 개의 독립절이 등위접속사인 but으로 연결된 중문이다. ③은 하나의 독립절인 Honey is produced~가 종속절인 where절로 연결된 복문이다.

[해석]
① 동물은 먹는 걸 좋아한다.
② 그는 수영을 좋아하지만, 그의 여동생은 하이킹을 좋아한다.
③ 꿀은 꽃이 피는 지역에서 생산된다.

영시를 쓰기 위해서는 많은 부분 생략과 여백의 방식이 사용된다. 그러한 영시를 쓰기 위해서는 가장 기본적인 문장 구조인 단문/중문/복문에 대한 이해와 그것의 구성 연습이 필수적이다.

<활동 1-1> 주어와 동사가 있는 단문을 여러 개 써 보자. [누가 ~하다]의 구조이다.

<활동 1-2> 독립절(주절)이 두 개인 중문을 써 보자. [누가 ~하고, 또 누가 ~한다]의 구조를 참고해보자.

<활동 1-3> 하나의 독립절에 하나의 종속절을 써 보자. [~한 것을 ~가 ~하다]의 구조를 참고해보자.

<정리>
영어 문장을 구성하는 가장 기본적인 구조 단문/중문/복문을 자유자재로 익히면 문장의 다양한 변화도 자연스럽게 활용해 나갈 수 있다.

2강 - 생각을 영어로 표현하는 연습

우리는 생각을 언어로 만들면서 소통한다. 모국어의 생각과 표현 프로세스는 즉각적이지만 외국어에 대한 생각과 표현 프로세스는 단계를 거쳐서 이루어진다. 특히 자기 생각을 영어로 표현하기 위해서는 문법의 숙지, 단어의 활용 방법, 자기만의 문장 형성과 같은 과정이 필요하다.

일단, 생각은 완전한 문장이 아니다. 그래서 생각은 정제를 거쳐 문장이 된다. 생각을 영어의 문장으로 만드는 과정은 몇몇 긴 생각을 몇몇 완성된 문장으로 표현하는 연습을 통해 익힐 수 있다.

다음 생각을 영어 문장으로 바꾸는 훈련을 해보자. 중요한 것은 조금 긴 생각을 영어 문장으로 바꾸는 일이다. 그렇게 하면 영어의 활용 프로세스에 좀더 접근할 수 있다.

피곤해... 너무 많은 일을 했어... 아직 숙제도 많이 있고... 내일은 수영을 해야지... 잠이 온다... 날마다 노력해야 해.... 그래야 멋진 삶을 살 수 있어... 나는 멋진 사람이 될 거야... 어른이 되면 무얼 먼저 해보지? 어른이 되면 나는 책을 가까이 하고 생각을 단단하게 하는 사람이 될 거야...

위의 생각은 일상적으로 흘려서 말하는 생각이다. 이 생각을 영어로 표현할 때는 생략된 주어와 문장 구조에 대한 분석이 필요하게 된다. 하나씩 하나의 문장으로 바꾸어보는 연습을 하자.

① 피곤해.... 주어와 동사가 생략되어 있다. 시제는 현재라는 걸 알 수 있다. 생략된 주어와 동사를 써준다. I am tired...

② 너무 많은 일을 했어... 주어가 생략되어 있다. (너무 많은 일을)은 하나의 목적어다. (했어)는 동사다. 시제는 과거다. I did lots of things...

③ 아직 숙제도 많이 있고... 주어가 생략되어 있다. I still have lots of assignments...

④ 내일은 수영을 해야지... 주어가 생략되어 있다. 미래 시제는 미래에 대한 계획이 있는 be going to를 쓰도록 한다. I am going to swim tomorrow...

⑤ 잠이 온다... 주어가 생략되어 있다. I feel sleepy...

⑥ 날마다 노력해야 해... 동사구는 조동사+원형부정사의 형태로 구성할 수 있다. I should push myself every day...

⑦ 그래야 멋진 삶을 살 수 있어... 가정법 현재를 써서 가능한 경우를 말할 수 있다. If I do that, I can live gorgeously...

⑧ 나는 멋진 사람이 될 거야... 주어가 생략되어 있다. 미래에 대한 확신을 표현하도록 한다. 동사구를 조동사+원형부정사로 구성한다. I will be a nice person...

⑨ 어른이 되면 무얼 먼저 해보지? 복문으로 구성한다. What would I do first when I become a grown-up? 어른이 되면

무얼 할지 고민해보는 구문이다.

⑩ 어른이 되면 나는 책을 가까이 하고 생각을 단단하게 하는 사람이 될 거야... 문장 구조가 복잡해지면 구나 절을 구분해서 생각하고 그것을 연결하면 된다. If I become an adult, I will keep the books close and think everything hard...

이상, 불확정적인 생각을 영어 문장으로 바꾸는 연습을 해보았다. 이렇게 자기 생각을 노트에 몇 문장을 쓰고 그것을 영어로 바꾸는 연습을 해보면 좋다.

<활동 2-1> 자기 생각을 쓰고 그것을 영어 문장으로 바꾸어보자.

<참고 1>

영어는 의미를 표현할 때 나름의 문법적 법칙성을 따른다. 하지만 동사의 표현은 때때로 보다 다양하면서도 길게 사용된다.

I am going to see a movie tonight.
No one can make a decision in this case.
He will eat out for dinner tonight.

문장에서 동사가 길어질 때, 문법적 과정을 살피고, 전체적인 동사구의 뜻을 파악하는 것이 필요하다. 또한 동사구의 범주는 그것이 뜻으로서 유효한 범주의 동사를 포함할 때까지이다. 즉, 조동사가 길게 나열되더라도 뜻을 더해주는 동사적 표현(주로 본동사)이 더해져야 그 전체가 하나의 동사구로서 의미화가 된다. 위의 예에서 준조동사 am going to 하나만으로 동사구를 형성할 수 없고, 본동사로서 뜻이 들어 있는 see가 추가되어야 하나의 유효한 동사구가 된다. 같은 방식으로 can은 make a decision이라는 관용적 동사구와 결합하여 하나의 유효한 동사구를 완성한다. eat out은 구동사로 결합되어 '외식하다'의 뜻을 지니고 이 자체로 하나의 동사 역할을 한다. will과 결합해 전체적인 동사 뜻을 형성한다.

한편, 동사의 의미가 추가적으로 더 필요할 때 준동사를 쓸 수 있다. <조동사+준동사>로 동사의 표현 한계를 넘어설 수 있다. 진행형과 완료형, 수동형에서 사용되는 준동사는 현재분사와 과거분사이다. 한편 조동사와 자주 결합하는 준동사는 원형부정사이다.

그리고 동사구의 범위를 생각해볼 수 있다. 동사는 본동사만 있거나 조동사와 결합해서 <조동사+준동사>의 형태로도 알 수 있는데, 문장의 동사적 뜻을 더하는 동사까지를 동사구로 말할 수 있다.

문장 안에 그 뜻을 가진 본동사가 있을 경우 그 뒤에 보충되는 준동사는 동사구의 범주에 넣지 않는다.

① I can swim in the river.
② I can swim to protect myself.
③ I have to learn how to swim for preparing danger.

①에서는 조동사와 원형부정사가 사용되었고, can swim은 하나의 동사구이다. 조동사와 준동사인 원형부정사가 결합함으로써 문법과 의미 면에서 하나의 동사구를 형성했다.

②에서는 to protect가 to부정사의 부사적 용법으로 준동사로서 부가적으로 사용되었지만 이 부분까지는 동사구가 아니고 can swim이 이 문장의 동사구로서 유효하다.

③ have to는 can이나 will처럼 그 자체로 하나의 조동사 역할을 하며 준조동사 범주다. ~해야 한다, 의 뜻을 가지고 있다. have to 다음으로 learn이 옴으로써 문장의 의미가 완성된다. have to learn이 이 문장의 동사구이다.

[해석]
① 나는 강에서 수영할 수 있다.
② 나는 나 자신을 보호하기 위해 수영을 할 수 있다.

③ 나는 만약을 대비해 수영하는 법을 배워야 한다.

<참고 2>

영시를 구성할 때 동사 및 동사구를 헷갈리지 않아야 한다. 특히 동사구를 구성하는 과정은 몇몇 연습을 필요로 한다. 어느 정도 동사구 구성에 자신감이 생기면 그때부터 표현에의 자유를 느낄 수 있다.

<참고 3>

준동사는 동사의 성질을 가지면서도 문장에서 다른 문법적 역할을 한다. 종류로는 to부정사와 원형부정사, 현재분사와 과거분사, 그리고 동명사가 있다. to부정사는 문장에서 주어, 목적어, 보어의 역할을 하는 명사적 용법과 형용사적 용법, 부사적 용법이 있다. 원형부정사는 동사원형의 형태지만 문장에서 단독으로 사용되지 않고 조동사 뒤에 사용되거나 지각동사나 사역동사의 목적격 보어로 사용된다. 일반동사 help는 목적어를 가질 뿐이지만, 준사역동사 help는 목적격 보어로 to부정사와 원형부정사를 모두 취한다. 때로는 목적어 없이 바로 원형부정사를 취하기도 한다. be able to, be going to 같은 구 형태의 준조동사도 그 뒤에 원형부정사를 취한다. 동사원형은 동사 자리에 그대로 사용되는데, 동사원형과 그 형태는 같지만 문법적 위치가 다른 원형부정사와 구분해서 이해해야 한다. be, have, do와 같은 일반조동사는 의문문, 부정문, 진행형과 완료형, 수동태를 만드는 과정에서 원형부정사 혹은 현재분사와 과거분사가 오고, 동명사는 문장 내에서 주어, 목적어, 보어로 사용된다.

3강 - 여러 시적 표현과 문장 구성 연습

영어는 산문과 운문이 서로 다르다. 산문은 논리적이고 문법을 지키지만, 운문은 대체로 감정적이고 문법을 변형한다. 중요한 것은 자기가 원하는 형태를 영문으로 실현하고 그것이 사람들에게 받아들여질 만한 형태가 되어야 한다는 점이다.

영어의 여러 시적 표현을 구성해보겠다.

a beautiful girl : 아름다운 소녀
a sad moment : 어느 슬픈 순간
an eternal love : 영원한 사랑
a silent dawn : 조용한 새벽녘
a blue heart : 우울한 마음
a dry desert : 메마른 사막
a sweet candy : 달콤한 사탕
a cold rose : 차가운 장미

위의 표현은 시적 표현의 예이다. 또 다른 형태의 시적 표현을 연습해보자.

flow like a river : 강처럼 흐른다
become a pretty princess : 아리따운 공주가 되다
leaves fall : 잎사귀가 떨어진다
love is not forever : 사랑은 영원하지 않다
sorrow is : 슬픔이란
a hazy moment is : 흐릿한 순간들이란

his own woman is : 그만의 여인은

이렇게 문장의 부분을 떼어 내서 시적인 표현을 연습할 수 있다. 이제 이러한 시적 표현을 가지고 실제로 영시를 구성해보겠다. 중요한 것은 영시의 분량이 아니라 하나의 영시가 하나의 의미를 담는 것이다. 위의 표현을 이용해서 영시를 만들어보겠다.

Years flow like a river.
Believed an eternal love.
Leaves fall.
Comes a sad moment.
Like a dry desert, now, I feel a blue heart.
A cold rose blooms and I know what sorrow is.

이상 위의 시적 표현을 이용해서 영시를 지어보았다. 2행에서 주어인 I가 생략된 채 believed만이 사용되었고 4행에서도 주어인 it이 생략되어 comes만이 사용되었다. 반드시 주어가 필요한 경우는 5행처럼 I feel이라고 써주면 된다.

영시를 쓸 때 이처럼 시적 표현을 나열해 놓고 문장에 삽입해서 간단한 서정시를 탄생시킬 수 있다. 자기만의 시적 표현을 연구할 필요가 있다.

[해석]
세월이 강처럼 흐른다.
영원한 사랑을 믿었었다.
잎사귀들이 떨어진다.

슬픈 순간이 온다.
메마른 사막처럼, 지금, 나는 우울하다.
차가운 장미가 피어나고, 나는 슬픔이 무엇인지 안다.

하나의 시를 완성할 때 중요한 것은 그것에 하나의 주제가 표현되어야 한다는 점이다. 위의 시는 단순히 짜깁기한 것이 아니라 표현 연구를 토대로 세월 속에서 슬픔에 대한 이해를 담담히 쓴 시이다.

백지에서 시를 쓰기란 어렵다. 그래서 이렇게 자기만의 시적 표현을 다양하게 구성해보고 그것을 이용해서 하나의 주제가 들어간 시를 완성한다면 좋다.

<활동 3-1> 여러 시적 표현을 써보고 그것을 이용해서 하나의 영시를 지어보자.

4강 - 다섯 줄짜리 영시 쓰기

우선 본격적으로 영시를 쓰기 위해서는 두 가지가 준비되어야 한다. ① 쓰고자 하는 내용, ② 그러한 내용을 영어로 구성하는 과정이 그것이다. 가장 기초적으로 다섯 줄짜리 영시를 쓰고자 한다. 이때 동물이나 꽃들에 대한 감상도 좋고, 일상에서 얻은 깨달음을 쓸 수도 있다. 다섯 줄 안에서 그러한 깨달음, 혹은 반전이나 임팩트가 있는 시를 쓸 수 있다.

먼저, 쓰고자 하는 내용을 간단하게 메모한다. 너무 많은 분량은 쓰지 않는다. 우리의 목표는 다섯 줄짜리 영시를 완성하는 것이다.

날마다 앞으로 나아간다. 행복이란, 어쩌면 노력하는 것 자체에 있는지도 모른다. 노력을 통해 무언가를 이루든 이루지 못하든 시도하는 것이 내겐 행복이다. 내가 노력하는 한 나는 꽤 괜찮은 사람이다.

위의 내용을 시적 표현으로 구성하기 위해 시적으로 문장을 고쳐보겠다.

나는 날마다 앞으로 나아간다.
행복은 노력하는 것 자체,
시도하는 것이 내겐 행복.
노력하는 한, 나는 꽤 괜찮은 사람이다.
그렇게 날마다 나아간다.

이렇게 시적 표현이 가능하도록 문장을 고쳤다. 이제는 시를 문법에 맞게 영작하고 영작한 시를 시적 표현의 목표에 맞게 고치면 된다.

I go forward every day.
Happiness means effort itself,
To try something is happiness to me.
As long as I try, I am a good person.
I, so, go forward every day.

특별히 시적 표현으로 고치지 않아도 된다는 판단이 든다. 이렇게 약간의 메모가 다섯 줄짜리의 시로 재탄생했다.

하나의 시를 같은 방법으로 더 만들어보자. 쓰고자 하는 내용을 다시 메모한다.

꽃을 사랑한다. 벌과 나비가 모여들고, 한철 피었다 진다. 마음에 꽃을 심는다. 마음에 핀 꽃은 늘 피어 있다. 밝은 마음이다. 누군가를 사랑해야겠다.

위의 내용을 시적 표현으로 구성하기 위해 시적으로 문장을 고쳐보겠다.

꽃을 사랑한다.
한철, 벌과 나비가 모여든다.
내 마음에 꽃을 심는다.
마음의 꽃은 늘 피어있다.
누군가를 사랑해야겠다.

이제 시를 문법에 맞게 영작하면 된다. 특히, 맨 마지막 행은 이 시를 하나의 임팩트가 있는 시로 만든다.

I love flowers.
Bees and butterflies gather in one season.
I plant flowers in my heart.
Flowers in heart always bloom.
I should love someone.

문법적으로 만들어진 표현이고 딱히 시적 표현으로 고치지 않아도 된다는 판단이 든다. 이렇게 다섯 줄짜리 영시를 만드는 과정에 대해 알아보았다.

다섯 줄짜리 시를 쓸 수 있다면 그것보다 훨씬 긴 시도 가능하다. 가장 기본적인 구조의 시 쓰기를 연습하는 건 기본적인 시 쓰기의 입문이다. 그리고 그것이 영시 쓰기일 때 자신의 내면이 자라는 걸 알 수 있다.

<활동 4-1> 일상적인 깨달음이 있는 메모를 쓰고, 그것을 시적 리듬이 있는 구문으로 바꾸고, 그것을 영시로 만들어보자.

5강 - 여덟 줄짜리 영시 쓰기

생각이 보다 길어질 수 있다. 이때 그 생각에서 탄생한 시 또한 길어진다. 여기에서는 여덟 줄로 구성된 시를 쓸 수 있도록 연습해보겠다. 내용상 아무런 관련 없이 여덟 줄을 구성할 수도 있겠지만 뒤로 갈수록, 그리고 마지막 행에 임팩트를 줄 수 있는 시도 가능하다.

시를 쓰기 위해 생각을 노트해보겠다.

저녁의 시간이 되었다. 하루를 정리하고 내일 할 일을 생각한다. 혼자만의 시간이고 이 시간을 통해 나는 미래를 약속받는다. 날마다 할 일이 있다. 그 일을 통해서 나는 매일 꿈을 이룬다. 목표가 있는 삶이다. 그래서 내 존재가 피어난다.

이 생각을 시적 표현으로 구성하기 위해 시적으로 문장을 고쳐보겠다.

저녁 시간이 왔다.
하루를 정리하고 내일 할 일을 생각한다.
혼자만의 시간이다.
나는 이 시간을 통해 미래를 약속받는다.
날마다 할 일을 한다.
그로써 나는 매일 꿈을 이룬다.
목표가 있는 삶이다.
그래서 내 존재가 피어난다.

시적으로 문장을 고쳐보았다. 이를 한 문장씩 영어로 번역해볼 수 있다.

It's evening.
I wrap up a day, and think of tomorrow.
It's time only for me.
I get a promise about the future through this time.
I do things that I have to do every day.
So, my dream comes true every day.
It's the life to have goals.
Therefore, my existence blooms.

이렇게 간단하게 시가 탄생되었다. 중요한 것은 자신이 쓰는 영시이다. 영미권 시인들의 표현을 따라가기보다는 자기 생각을 영어로 써보는 것이 중요하다. 그러면서 자기만의 영시 표현법을 찾는 것이 중요하다. 처음에는 서툴겠지만, 차차 좋은 시가 탄생될 수 있다.

이번에는 여덟 줄을 두 부분으로 나누어서 써보겠다. 먼저 시를 쓰기 위해 생각을 노트한다. 두 부분마다 중요한 임팩트를 배치해보았다.

어젯밤 봄비가 내렸다. 새벽에 잠에서 깼다. 잠시 이런저런 생각을 잇다가 다시 잠이 들었다. 날마다 모든 걸 잘할 수는 없다./ 몸이 피곤하다. 나는 매일 무얼 하는 걸까. 두렵고 불안하다. 혼란 속에서도 잘 가고 있다.

이 생각을 시적 표현으로 구성하기 위해 시적으로 문장을 고쳐보겠다.

어젯밤 봄비가 내렸다.
새벽에 잠에서 깼다.
잠시 생각을 잇다가 다시 잠들었다.
날마다 모든 걸 잘할 수는 없다.

몸이 피곤하다.
나는 매일 무얼 하는 걸까.
두렵고 불안하다.
혼란 속에서도 잘 가고 있다.

이 시는 2연으로 이루어져 있고 4행과 8행에 임팩트가 주어져 있다. 영어로 번역해보겠다.

Spring rain came down last night.
I woke up at dawn.
Connecting the thoughts, I slept again.
I can't do everything well every day.

Feel tired.
What on earth do I do every day?
Feel fearful and anxious.
I walk well though in chaos.

이렇게 여덟 줄짜리 영시를 만드는 연습을 해보았다. 특히 위의 시 2연에서 Feel tired와 Feel fearful and anxious에서는 주어인 I가 생략되었고 명령문이 아님에 유의해야 한다.

<활동 5-1> 메모를 써서 그것을 시적 표현으로 바꾸고 여덟 줄짜리의 영시로 완성해보자.

6강 - 열 줄짜리 영시 쓰기

이제 영시를 어떻게 구성하는지에 대해 대략의 방법을 이해했을 것이다. 그것은 산문으로 내용을 구성하고 그것을 시적 표현으로 고치고 마지막으로 임팩트를 주는 방식으로의 영시 영작이었다.

이제 다소 긴 열 줄짜리 영시를 영작해 보도록 하자. 방법은 같다. 생각을 쓰고 시적 표현으로 고치고, 그 후 영작하는 방법이다. 이때 마지막 단계로 문장이 시적이도록 고치는 방법을 추가하면 좋다.

어느 순간 삶이 어려워졌다. 나는 애썼다. 살아가기 위해 애썼다. 나는 외부의 요청이 아니라 내부의 요청에 귀를 기울였다. 무엇이 일어났는가. 언제부터인가 나는 어려운 길을 가고 있었다. 눈에 보이지 않고 미래도 보이지 않는 그런 길. 나만의 오솔길이었다. 모든 것이 부정적으로 보이기도 했다. 아, 그래서 우울해졌구나.

이 문장을 영시로 고치기 위해 시적 표현으로 나누어보겠다.

어느 순간 삶이 어려워졌다.
애썼다.
살아가기 위해 애썼다.
내부의 요청에 귀를 기울였다.
무슨 일이 일어났는가.
언제부터인가 어려운 길을 가고 있었다.

눈에 보이지도 않고 미래도 보이지 않는.
나만의 오솔길이었다.
모든 것이 부정적으로 보이기도 했다.
아, 그래서 우울해졌구나.

이 열 줄짜리 시는 마지막에 임팩트가 있다. 자신이 추구하는 삶을 살아가기 위해 어렵고 힘든 길을 택한 화자는 우울에 빠져들기도 한다.

한 줄씩 영작해 보겠다. 순서대로 한 줄씩 확인해보길 바란다.

Life became difficult at some time.
I have tried my best.
I have tried my best to live.
I have listened to the internal requests.
What happened to me?
I have been walking on the hard road since sometime.
It was invisible and even the future wasn't seen.
It was my only pathway.
Everything around me sometimes looked negative.
Ah, so, I feel depressed.

한 줄씩 번역하고 난 뒤, 전체적으로 확인하고 고치는 과정을 겪어야 한다.

영시를 마무리할 때 시제 부분을 확인할 필요가 있다. 단순 현재나 단순 과거를 쓸 때도 있지만, 위의 시에서는 삶을 겪어온 과거부터 현재까지의 스펙트럼을 보이고 있으므로 현재완료라는 시제가 주로 사용되었다.

이렇게 열 줄짜리 영시를 써 보았다. 영시를 쓰려고 노트를 펼치면 바로 영어로 시가 써질 것 같지만 영시를 좀더 제대로 쓰기 위해서는 위의 과정들을 거치는 연습이 보다 필요하다.

<활동 6-1> 메모를 써서 그것을 시적 표현으로 바꾸고 열 줄짜리의 영시로 완성해보자.

7강 - 영어로 바로 시적 문장 쓰기 연습

한글로 생각을 정렬하고 시적 표현으로 다듬은 뒤, 그것을 영어로 번역하는 과정은 영시를 쓰는 좋은 방법이다. 한편, 영어로 바로 문장을 만들어내 영시를 쓰는 방법도 있다. 생각이 떠오르면 그것을 주어+동사의 형태로서 머릿속에서 기본적으로 잡고는 나머지는 구성해나가는 형식이다.

다음 예는 가장 기본적인 문장 구사의 예이다. 실제로 적지 않고 머릿속에서 영어화되는 과정이다.

나는 슬펐다. -> I was sad.
나는 행복했다. -> I was happy.
나는 즐겁다. -> I feel good.
나는 과일을 먹는다. -> I am eating a fruit.
나는 그를 좋아한다. -> I like him.
나는 나무를 심었다. -> I planted a tree.

이러한 기본적인 표현 과정을 머릿속에서 양적으로 많이 익힐 필요가 있다. 그러한 많은 사례 연습은 영시를 바로 형성하는 것뿐만 아니라 영어 문장 구성에 어려움을 덜어준다.

영어로 바로 시를 쓰려면 머릿속에서 그 시의 주제에 대해서 생각해보는 과정을 가져야 한다. 예를 들면, <슬픈 나날들> 혹은 <그리움의 깊이>, 혹은 <여름날의 즐거움> 등과 같이 주제를 머릿속에서 형성하고 영어로 바로 첫 문장을 써야 한다.

주제로 <슬픈 나날들>을 선정해보겠다. 그리고 시를 다 쓰면 고치고 최종 제목을 설정하면 된다. 이러한 방식은 그저 시심을 끌어내는 방식이다. <슬픈 나날들>과 관련된 두 편의 시를 영어로 바로 써보겠다.

I experienced days with you.
Now, you are not here with me.
A dandelion in the spring greets me.
Tears in my heart soar up.
No one knows where you go.
Ah, my lost dandelion is you.

너와 함께 했던 날들이 있었다.
지금 너는 여기 내 곁에 없다.
봄날의 민들레가 나를 맞이한다.
마음속 눈물이 솟아난다.
네가 간 곳은 아무도 모른다.
아, 나의 잃어버린 민들레는 바로 너임을.

주제인 <슬픈 나날들>을 생각하면서 한 문장, 한 문장 써 내려간 시이다. 이 시의 제목은 <나의 잃어버린 민들레>라고 하면 좋을 것 같다.

<슬픈 나날들>을 생각하면서 또 다른 시를 영어로 바로 써보겠다.

The day losing you covers me over.
I don't know when it was.

Past is the moments I lost you.
I am coming to you with sadness.
Love dried and sorrow opened.
Oh, that's how I've lost lots of things.

너를 잃었던 날이 나를 덮는다.
나는 그때가 언제였는지 모른다.
과거는 너를 잃었던 순간들이다.
나는 슬픔과 함께 너에게로 간다.
사랑은 메말랐고 슬픔이 열렸다.
오, 나는 그렇게 많은 것들을 잃었다.

<슬픈 나날들>이라는 주제를 생각하면서 영시를 바로 써보았다. 주제는 <너를 잃다>로 하면 좋을 듯하다.

<활동 7-1> 주제를 설정하고 그것에 대해 몇 줄의 영시를 바로 써보자. 몇 줄의 영시가 완성되면 제목을 붙여보자.

8강 - 하나의 주제에 하나의 시 구성 연습

시를 구성할 때 주제를 간단히 정하고 내용을 노트에 옮긴 후 시적 표현으로 바꾸는 과정을 거쳐야 한다. 특히 영시를 쓸 경우 표현하고자 하는 주제를 정하고, 내용을 정하고, 시적 표현을 정하고 그것을 영어로 옮기는 과정을 겪는다.

여기에서는 <하나의 주제>에 <하나의 시>를 구성하는 과정을 연습해보고자 한다.

주제들
- 나의 낭만
- 꽃들의 노래
- 사랑과 추억
- 청춘의 꿈

먼저, <나의 낭만>이라는 주제를 정했다면 몇몇 시적 표현으로 그것을 나타내볼 수 있다.

<나의 낭만>

누군가를 사랑한 기억은
내 삶을 온전히 완성한 일이었다.
그렇게 사랑하고 살아간다.

이 정도만 시적 표현으로 완성해도 이 시는 하나의 주제에 대해 완성된다. <나의 낭만>을 영시로 다시 써보겠다.

<My romanticism>

Memory to have loved someone
was that I completed my life fully.
I will love and live like that.

길이는 문제가 되지 않는다. 주제를 정하고 표현 연습을 계속해 보면 된다. 이번에는 <꽃들의 노래>라는 주제로 몇몇 시적 표현을 써 보고 그것을 영시로 완성해보겠다.

<꽃들의 노래>

비가 그치고 해가 떴다.
바람이 분다.
그렇게 꽃들은 피어나고 노래를 부른다.
그리고 한껏 자신을 사랑하다가
깊은 마음속으로 들어간다.

<Songs of the flowers>

The rain has stopped and the sun has risen.
The wind blows.
The flowers bloom and sing a song.
And they love themselves fully,
and then they go to the deep heart.

수많은 주제에 대해 영시를 구성할 수 있고 길이에 대해서도 자유로울 수 있다. 하나의 주제에 하나의 영시를 쓰는 연습은 개인적 사유와 언어의 밀도 면에서 중요한 하나의 지점을 지나는 것이다.

<사랑과 추억>과 <청춘의 꿈>에 대해서는 각자가 이 주제에 대해서 영시를 완성해보도록 하자.

<활동 8-1> <사랑과 추억>을 주제로 영시를 완성해보자.

<활동 8-2> <청춘의 꿈>을 주제로 영시를 완성해보자.

9강 - 연작시의 요소와 구성법

영어로도 연작시를 쓸 수 있다. 연작시는 여러 시인이나 한 시인이 하나의 주제 아래 내용상 관련이 있게 쓴 여러 개의 시를 하나로 꾸민 시이다. 즉, 하나의 주제와 관련된 시를 여럿 쓴 것을 연작시라고 한다.

영문연작시의 대표적인 장편 연작시로 《In Memoriam》이라는 알프레드 로드 테니슨의 시가 있다. 이 시는 테니슨이 대학 시절 친구가 23살의 나이로 죽자, 그를 추모하기 위해 쓴 시다. 17년간 133개의 칸토(장편시의 한 부분)로 완성된 서정시다.

연작시를 쓰기 위해서는 자신을 사로잡은 시심이 거대해야 한다. 무언가 길게 써야만 할 그런 거대한 감정이 있어야 한다.

여기에서는 하나의 주제 <혼자 걷는 길>에 대해 3편의 연작시를 쓰는 과정을 거쳐보자. 한글로 가볍게 쓴 뒤 영어로 바꾸어 보는 방법을 선택하고자 한다.

1
어느 순간 내 곁에는 아무도 없었네.
저녁 무렵 비는 내리고
새들은 울어댔지.
그 많던 사랑하던 사람들은 어디로 갔을까.
너무 오래 혼자 서 있었네.

2
삶에 그늘이 진다.
모든 걸 이룰 수 있을 줄 알았다.
삶은 축제라기보다는
약간 싸늘하고 씁쓰레한.
그래도 나는 무언가를 한다.

3
삶은 여정이다.
자신만의 여정이다.
함께 걷기도 하지만
결국 혼자 걸어야 한다.
스스로 자기에게 온기를 대주면서.

<혼자 걷는 길>에 대해 3개이든 10개이든 80개든 혹은 더 많이 쓸 수도 있다. 그러기 위해서는 주제에 관련해 시인만의 심도 있는 이해가 필요하다.

<혼자 걷는 길>에 대해 쓴 3개의 연작시를 영시로 바꾸어보겠다.

1
No one has been beside me at some point.
It rained at evening
and some birds cried.
Where on earth did my many, beloved ones go?
I have stood here alone for long.

2
Life makes shadow.
I thought I could achieve everything.
Life is not a feast
but a little chilly and bitter.
In spite of this, but I do something.

3
Life is a journey.
It's one's own journey.
We sometimes walk together
but I should walk alone eventually.
Making warmth to myself.

이렇게 <혼자 걷는 길>에 대해서 간단하게 영시를 만들어보는 과정을 거쳐보았다. 자기만의 영시를 쓰고 출간하는 것을 버킷 리스트로 삼을 수 있다. 연습 과제로 세 개의 주제를 제시할 테니, 세 편의 연작시를 씀으로써, 자기만의 연작시에 대해 생각할 수 있는 시간이 되길 바란다.

주제 : <사랑이 남기고 간 것들>, <자기만의 삶>, <고통>

<활동 9-1> 주제 중에서 하나를 택해 영문연작시를 쓴다.

<활동 9-2> 위에 쓴 주제에 대해 또 다른 영문연작시를 쓴다.

<활동 9-3> 위에 쓴 주제에 대해 또 다른 영문연작시를 쓴다.

<정리>

영문연작시는 그것이 가진 분량에 압도되기 때문에 쉽게 접근하기 어렵다. 하지만 자기와 관련된 중요한 주제를 정하고 그것을 표현하고자 하는 자에게 영문연작시 장르는 하나의 매력적인 표현의 장르가 될 수 있다.

10강 - 생략과 함축의 표현 연습

생략과 함축은 시의 특징이다. 생략을 통해서 불필요한 표현을 쓰지 않고 시적 리듬과 형식이 시다워진다. 또한 함축을 통해 시어와 표현 속에 보다 많은 의미를 말할 수 있다. 영시에서도 물론 생략과 함축은 주요하게 사용할 수 있는 스킬이다.

주어를 생략하기

① Am sick but I still love you.

② Think she gave you something important.

③ Loved you with my whole warmth.

생략은 주어에서 많이 일어난다. 위의 사례에서는 주어인 I가 생략되었다. 주어를 생략하지 않았을 때 문장이 다소 딱딱하게 느껴지지만, 주어를 생략함으로써 보다 시적 표현이 된다.

[해석]

① 난 아프지만 너를 여전히 사랑해.

② 그녀가 네게 뭔가 중요한 걸 줬다고 생각드는군.

③ 나의 모든 따스함을 다해 널 사랑했어.

내용을 생략하기

: 보다 많은 내용을 몇몇 표현으로만 해서 생략할 수 있다.

① Mean that I earnestly love you (because I fall in love with you).

② I tried to make something for you (and I hope you like

it).
③ That is my heart (to love you).

[해석]
① 진정 널 사랑하는 걸 의미해.
② 널 위해 무언갈 만드느라 애썼어.
③ 그건 내 마음이야.

위의 세 문장은 내용이 많이 생략되었으나 그러한 문장을 시로 써 읽을 때 생략된 부분이 모두 느껴진다.

함축에 대해서 알아보겠다.
예를 들면, 너를 사랑하는 일이 내겐 고통이지만, 그 고통이 기쁨을 내포할 그러한 경우가 가능하다. 또한, 열매를 맺는다는 말은 사랑과 관련이 있는 표현으로 가능하다. 이렇게 함축적 표현을 통해서 보다 많은 것을 말할 수 있다.

함축된 표현의 사례들
① To love you is a pain that contains a joy.
② I made a small fruit for my little love.

[해석]
① 널 사랑하는 일은 고통이지만 기쁨을 갖고 있어.
② 나는 나의 작은 사랑을 위해 작은 열매를 만들었어.

너를 사랑하는 일이 고통이지만 기쁨이며, 내가 만든 작은 과일은 작은 사랑을 위한 것이라는 표현이다.

생략과 함축의 기법은 시를 쓰면서 보다 발달한다. 시를 보다 시다운 형식으로 만들고 보다 의미를 비유적으로 전달할 수 있다.

<활동 10-1> 주어를 생략한 시구를 몇 개 써보자.

<활동 10-2> 함축된 표현의 시구를 몇 개 써보자.

11강 - 시적 사유를 이어가는 연습

시를 여러 편 쓰기 위해서는 시적 사유가 우선되어야 한다. 시적 사유는 시의 바탕이 되는 내용으로서 처음에는 거칠지만 조금씩 다듬으면 시적 표현으로 실현할 수 있다. 그리고 시를 한두 편 쓸 것이 아니라 꽤 여러 편 쓰고, 시를 쓰는 것이 하나의 중요한 일이 될 경우는 시적 사유를 계속 이어가는 연습이 어느 정도 필요하다.

시적 사유를 이어가는 과정 :

① 그립다. 그가. 우리의 사랑이 끝나버린 것이. 슬프다.
② 삶이란. 슬픔을 인내하는 것. 그럼에도 불구하고 자기 삶을 끝까지 살아내는 것.
③ 너를 위해 내가 할 수 있는 것. 그것은 나의 기쁨. 하나의 소망이기도 한.
④ 나의 길. 혼자 걸어가야 할. 인생의 목표란. 무얼 완성할까.

시적 사유는 의미의 전개상 가능한 짧은 표현을 써보는 것을 뜻한다. 이러한 짧은 표현은 시로 발전될 수 있고 어떤 시를 쓸 때도 표현의 바탕이 될 수 있다.

처음부터 영시를 쓰려고 하면 제대로 진행하기 어려울 수 있다. 시적 사유를 이어나가고 그것을 표현으로 만들어 영시로 최종 마무리하면 훨씬 시작(詩作)이 쉽다.

위의 시적 사유 ①을 이용하여 시적 표현으로 다듬어 하나의 영시로 만들어보겠다.

불현듯 그가 그립다.
그렇다. 이미 끝나버린.
끝나버린 시간 속의 사랑.
못내 슬프다.

이렇게 시적 사유를 시적 표현으로 바꾸어보았다. 이를 영시로 한 문장씩 완성하면 된다.

Suddenly, memories of him touch me.
Yes, it already finished.
Love, staying in the past only.
It's so sad.

표현의 마무리는 자기가 원하는 정도에까지 수정하면 된다. 시적 사유를 이어감으로써 자기가 원하는 정도까지 영시를 쓸 수 있다면 좋다.

활동으로 시적 사유 ②, ③, ④를 시적 표현으로 고쳐 혼자서 영시로 완성해보자.

<활동 11-1> 시적 사유 ②를 시적 표현으로 고쳐서 영시로 만들어보자.

<활동 11-2> 시적 사유 ③을 시적 표현으로 고쳐서 영시로 만들어보자.

<활동 11-3> 시적 사유 ④를 시적 표현으로 고쳐서 영시로 만들어보자.

12강 - 표현 고치기의 과정

영시를 일단 완성했다면 그것을 고치는 과정을 두세 번 가져야 한다. 주어를 넣을지 뺄지, 동사의 구성은 어떻게 완성할지, 중문과 복문을 어떻게 사용할지, 적합한 표현으로 이루어졌는지 이러한 표현 고치기의 과정을 겪어야 한다.

예를 들어 세 줄짜리 영시를 만들어보자.

그대가 그립습니다.
오늘은 더욱.
내일은 더 그립겠지요.

I miss you.
It is deep even more today.
May tomorrow is deeper.

이것의 표현을 보다 매끄럽고 의미 있게 고쳐보자.

첫째 행부터 살펴보자.

I miss you.
그대가 그립습니다.

특별하게 고칠 필요가 없다.

둘째 행을 살펴보자.

It is deep even more today.
오늘은 더욱.

오늘은 더욱, 이 뜻하는 바를 보다 정확하게 알아야 한다. 오늘은 더욱 그대가 그립습니다, 라는 뜻이 생략된 것이다.

I do miss you even more today.
I miss you today so much.

하지만 첫 행에서 miss를 썼기 때문에 다른 표현을 구성해보자.

I think of you even more today.
I remember you even more today.

I를 생략하고 think of나 remember를 문두에 쓰면 뜻이 다소 불분명해지므로 주어를 쓰도록 한다.

최종적으로 I remember you even more today를 선택한다.

셋째 행의 표현을 고쳐보자.

May think of you deeper tomorrow.

주어 I가 생략되었고 이 표현이면 될 듯하다. 즉, 고치는 과정을 겪으면서 위의 시는 이렇게 바뀌었다.

I miss you.

I remember you even more today.
May think of you deeper tomorrow.

처음 쓴 시보다 훨씬 표현이 풍부하고 좋아졌다. 주어를 생략해도 되는지 확인하는 일과 동사의 표현을 적합하게 하는 일은 시의 표현을 고치는 데 있어서 중요한 역할을 한다.

<활동 12-1> 한글로 세 줄짜리 시를 쓰고 그것을 영시로 고쳐서 표현 고치기까지 완성해보자.

13강 - 다양한 표현을 영시로 쓰는 연습

영어도 우리말처럼 관용적 표현이 존재하고 자기만의 구성을 통해서 다양한 표현을 만들 수 있다. 자기가 원하는 표현을 영어에 맞도록 표현하는 일은 비단 영시를 쓰기 위해서뿐만 아니라 영어 사용에 있어서 다양성과 풍부함을 위해서도 필요하다.

특별히, 표현을 다양하게 생각하고 그것을 영어로 표현해보는 과정을 연습하면 상황에 따라 영어를 구성하는 능력이 커진다.

<연습할 표현들>

- 너를 이해하기 위해
- 사막과도 같은 내 마음
- 슬픔의 기도를 드리네
- 기쁨의 나날들

어떤 표현이든지 문장의 부분을 떼어내서 영어로 표현하는 연습이 필요하다. 위의 표현들을 영어로 고쳐보자.

너를 이해하기 위해 : to understand you
사막과도 같은 내 마음 : my heart like a desert
슬픔의 기도를 드리네 : I make a prayer of sadness
기쁨의 나날들 : joyful days

이렇게 자신이 생각하는 표현을 영어로 고치는 연습을 하면 영어의 표현 능력이 좋아진다. 내가 하면 콩글리시일 거야, 그래서 나는 안돼, 라고 생각해서는 안 된다. 언어는 그것이 이루어지는 모든 과정이 존중되어야 하고 비록 원어민이 보기에 우리가 표현하는 일들이 서툴고 어색할지도 모르겠지만, 그러한 과정을 거쳐서 우리는 우리가 원하는 표현을 영어로 달성해낼 수 있다.

<활동 13-1> 주어진 표현을 영어로 바꾸어보자. 자신이 만족할 때까지 계속 고쳐보자.

- 기억 속의 두려움
- 삶의 중심부에 존재하는 것들
- 슬픔은 떠나가고
- 내게 그대라는 호흡
- 내게 사랑만을 주세요

14강 - 영시에서 단어의 선택과 활용

영어 문장을 쓸 때 문맥에 맞는 표현을 고르는 건 필요한 과정이다. 그러한 표현의 기초의 단위가 단어이다. 혹은 관용어도 포함된다. 영시를 쓸 때 우리말로 된 표현을 쓰고 그것을 일차적으로 영어로 고쳤을 때 우리는 선택된 단어와 표현이 어색하지 않은지 확인해야 한다.

다음 영시를 구성하는 과정에서 단어가 어떻게 선택되고 활용되는지 살펴보자.

문득 날이 따뜻해졌다.
어제까지만 해도 추운 겨울의 한가운데였다.
마음에 대해서도
추울 때도 있지만
다시 따뜻해진다.
그 모든 게 삶이다.

단어와 문법에 의거해 영어로 문장을 구성해보겠다. 완벽한 구성은 아닐 수 있다.

Suddenly the day becomes warm.
Even yesterday, it was in the middle of a cold winter.
About the mind,
it is sometimes cold,
but it becomes warm.
Such all changes are life.

그저 영어로 옮겨보았지만 뭔가 어색한 것이 느껴진다. 1행부터 분석해 보자. '문득'을 여기에서 suddenly로 쓰는 것에 대해 생각해보자. suddenly는 갑작스러운 상황에 사용되긴 하지만 '문득'과는 어울리지 않는다. '문득'에 해당하는 표현을 찾을 필요가 있다. 계절과 시간의 흐름이 빨리 이루어지는 또 다른 표현으로서 '문득'은 '어느새'와 같다. '어느새'는 before I know it이라는 표현이 가능하다.

The day has become warm before I know it.

첫 문장에서 시간성을 나타내는 동사 표현이 현재완료로 바뀐 것도 확인해보자.

이제 2행에서도 단어와 표현을 보다 맞게 고치는 과정을 살펴보자.

'어제까지만 해도'는 even yesterday로 표현했는데 even yesterday는 '어제도'라는 표현이다. 즉, 이 표현이 가진 의미를 좀더 명확히 살펴보아야 한다. until yesterday라는 표현을 찾을 수 있는데, 좀더 의미에 가까워 보인다.

Until yesterday, it was in the middle of a cold winter.

이제 3행의 과정을 분석해 보자. '마음에 대해서도'는 'About my mind'로 the를 my로 고쳐보았다. as well을 덧붙임으로써 세밀한 것까지의 의미를 표현한다.

About my mind, as well,

이제 4행과 5행에 대해서 단어의 표현을 분석해 보자. 4행은 고칠 필요가 없지만, 5행에서 get으로 표현을 바꾸어 써주었다. '다시'라는 표현도 덧붙였다.

it is sometimes cold,
but it gets warm again.

마지막 6행은 주제를 담은 행이다.

그 모든 게 삶이다.

It all looks my life.

마지막 행까지 단어와 표현이 최종적 표현까지 어떻게 이루어지는지 살펴보았다. 영시를 만드는 것은 과정상의 어려움을 이겨내야 하고 적절한 단어를 사용했는지 확인해야 한다. 고친 표현을 나타내면 다음과 같다.

The day has become warm before I know it.
Until yesterday, it was in the middle of a cold winter.
About my mind, as well,
it is sometimes cold,
but it gets warm again.
It all looks my life.

<활동 14-1> 몇 줄의 표현을 한글로 쓰고 그것을 영작한 뒤 단어와 표현의 적합성을 생각하며 하나의 영시를 최종적으로 완성해보세요.

15강 - 상실과 슬픔, 좌절을 표현하는 영시

시작(詩作)이 시작되는 시점은 인생에서 상실과 슬픔, 좌절을 겪은 후이다. 우리는 마음으로부터 그러한 고통을 느끼고 그 고통을 시로 승화하길 원한다. 사실, 영시를 쓰려면 단어 하나하나가 가진 의미의 깊이를 이해해야 한다. 그럴 때, pain이라는 단어 하나는 깊이 표현될 수 있고, 좌절을 겪어야 frustrated라는 표현을 제대로 쓸 수 있다.

우리는 각자의 삶을 살아가고 실패하고 이별하며 좌절한다. 그 모든 고통을 우리는 진심으로 느꼈고 그러한 고통을 표현할 수 있다.

즉, 상실과 슬픔, 좌절을 표현하는 영시는 자기 경험과 느낌을 쓸 때 충분히 표현될 수 있다.

어제 나는 울었습니다.
늘 오던 새 한 마리가 오지 않았지요.
계속 울 수밖에요.
그 새는 더 이상 오지 않을 거니까요.

이 시는 소중한 사람을 잃은 누군가의 슬픔에 대한 비유적 표현이다. 이를 영시로 표현할 수 있다. 다만, 슬픔을 나타내는 정도를 계속 표현을 고치면서 달성할 수 있다.

Cried yesterday.
A bird that always comes to me didn't come.

Only cry continuously.
The bird won't appear any more.

이제 영시를 쓰는 스킬을 제법 익혔으리라 생각한다. 자기만의 방식으로 영시를 쓰는 걸 두려워하지 말길 바란다.

상실과 슬픔, 좌절을 표현하는 영시는 어떻게 보면 매우 아름답다. 그것이 삶의 진실을 말해주는 것이기 때문인 것 같다.

<활동 15-1> 상실과 슬픔, 좌절을 경험했다면 그것을 몇 줄이라도 쓰고 그것을 영시로 표현해보자.

16강 - 영시에서 문법의 변형

일상생활에서도 주어 I나 it이 생략된 문장을 많이 쓰고 동사가 여러 개 결합된 문장이 쓰이기도 한다. 또한 영시는 뜻을 이해할 수 있는 범위 내에서 문법이 변형되기도 한다. 많은 연습을 거치면 나름대로 그러한 세련된 변형 문법을 사용할 수 있다.

① Mean that he is a liar.
② Means that he is a liar.
③ I will try tell you something important about her.

①과 ②는 각각 주어 I와 It이 생략되어 있다. 이렇게 동사만 남기고 문장을 표현하는 연습을 하면 보다 세련된 문장을 쓸 수 있다. ③은 동사의 법칙이 변형된 것이다. 동사에 대한 전체적 이해 속에서 이러한 변형이 가능하다.

[해석]
① 내 말은 그가 거짓말쟁이인 걸 의미해.
② 그건 말이지 그가 거짓말쟁이라는 거야.
③ 그녀에 대해 무언가 중요한 것을 말하려고 해.

몇몇 영시 표현을 보면서 어떻게 보다 세련되고 함축적인 영시 표현을 사용할 수 있는지 알아보자.

너를 생각한다.
삶이 너 투성이다.
그렇게 나는 비어간다.

사랑이다

이 시를 영시 표현으로 바꾸어보겠다.

I think of you.
My life is full of you.
Like that, I become empty.
It's love.

뭔가 시적인 표현 같지 않고 직설적이다. 어떤 문법의 변형을 통해서 보다 시적이고 세련되도록 바꾸어보겠다.

Am thinking of you.
Life is filled with you.
I become empty like that.
It's love.

주어의 생략이나 표현의 정확도, 혹은 함축을 시적인 문법의 변형으로 이룰 수 있다. 그러한 문법적으로 미묘하게 허락되는 범위를 찾는 연습을 할 수 있다.

Hope had a good time.

이 문장이 의미하는 바는 정확하게 I hope you had a good time이다. 하지만 뜻을 이해할 수 있는 범위 내에서 두 개의 주어가 생략되었다.

시에서는 주어와 동사에서 많은 변형이 일어난다. 특히 동사는 원래의 규칙에서 보다 자유롭게 변형이 가능하다. 동사가 이루어지는 과정을 학습한 후, 영시를 만들 때, 자신만의 표현을 쓸 수 있게 된다.

<활동 16-1> 주어의 생략이나 동사의 변형이 이루어진 영시를 한 편 써 보십시오.

17강 - 에밀리 디킨슨의 시 한 편과 표현 분석

에밀리 디킨슨의 시는 간결하고 함축적이고 작은 깨달음과 작은 이미지즘을 추구한다. 쉬운 듯 보이지만 그 의미는 읽을수록 어렵다.

To make a prairie it takes a clover and one bee,
One clover, and a bee,
And revery.
The revery alone will do,
If bees are few.

- 디킨슨 시선 <절대 돌아올 수 없는 것들> 중에서

하나의 대초원을 만들기 위해서는 클로버 하나와 벌 한 마리가 필요할 뿐이야,
하나의 클로버와 한 마리의 벌,
그리고 몽상.
몽상으로도 그 모든 걸 할 수 있어,
만일 벌이 얼마 없다면.

다섯 줄짜리의 시지만 매우 임팩트가 있다. 우리가 무언가를 이루기 위해서는 약간의 조건이 필요하지만, 오히려 우리의 몽상이나 꿈만 있어도 그 모든 조건 없이 무언가를 이룰 수 있다는 뜻을 함축하고 있다.

이처럼 임팩트 있는 영시를 쓰기 위해서는 영어 공부뿐만 아니

라 세상에 대해 자기만의 시선을 갖추는 연습을 해두면 좋다. 늘 일기를 쓰거나, 자기만의 생각을 쓰거나 하는 연습이 영시의 표현력과 만나서 자기만의 시를 탄생시킨다.

18강 - 자기만의 영시를 쓰기 위하여

영시에 대해 그것의 작법에 대해서는 내 나름의 모든 것을 가르쳤다. 에밀리 디킨슨의 시처럼 그러한 시를 쓰기 위해서는 영시 표현 연습과 사유 훈련이 필요하다. 물론, 우리가 에밀리 디킨슨이 될 필요는 없다. 우리는 우리 이야기를 해야 한다. 우리 자신만의 이야기와 깨달음을 영시라는 형식을 통해서 나타낼 수 있다.

우리가 영시라는 목표에서 추구해야 할 지점은 자기만의 영시를 쓰고 고치고 표현하는 일이다. 그 과정에서 필요한 두 가지의 스킬은 영어의 시적인 표현력과 사고의 독자성이다. 내가 가르친 것은 영어의 시적인 표현력이고 사고의 독자성을 가르치지는 않았다. 다만, 사고의 독자성은 각자가 이루어내야 할 삶의 목표다.

클로버 하나와 벌 한 마리라는 시상을 통해서 인생에서 중요한 방식을 설명한 에밀리 디킨슨처럼 우리는 그러한 방식을 읽고 생각하고 연구해야 한다.

그리고 궁극적으로 닿아야 할 지점은 우리 자신이 말하고자 하는 메시지, 그러한 것들을 시로써 표현하는 일이다. 하필이면 영시를 표현의 틀로 정했냐면, 영시를 쓰는 아름다움은 삶을 보다 풍성하게 채울 수 있기 때문이다.

그렇게 자신만의 영시 표현의 세계를 실험해보는 것은 보다 영혼이 정화되는 일이기도 하다. 중요한 것은 영미권 시인들과 자신을 비교하지 않고 자신만의 영시를 쓰는 일이다. 시는 본질적으로 시인과 닿아있고 특히 영시는 우리 영혼을 정화하고 치유한다.

그렇게 우리가 목표로 삼는 지점은 우리가 우리만의 영시를 쓰는 일에 아주 흥미가 있다는 것이다.

19강 - 영시 작문과 표현의 자유

영시 작문은 우리가 영어를 쓸 때 하나의 중요한 지점이다. 왜냐하면 우리의 감정, 의지, 시선과 같은 것을 하나의 작은 형식을 통해서 표현할 수 있고 특히 영시의 작문은 표현의 자유와 연결되어 있다.

워즈워스나 바이런의 시를 읽은 적이 있을 것이다. 혹은 간혹 셰익스피어의 시를 읽은 적도 있을 것이다. 그럴 때 우리는 그러한 시를 쓸 수 없다고 생각했을 것이다.

중요한 것은 그러한 거장들의 시를 따라 하거나 무조건 압도되는 것이 아닌 자기 이야기를 영시로 표현할 수 있다는 점이다. 그러한 약간의 용기와 의지로 자기만의 표현의 자유를 향해 나아간다.

시는 시인마다 그 특징이 다르고, 한 명의 시인도 생애를 거치면서 다른 모습의 시를 쓴다. 그러므로 어떤 시인의 시에 압도되는 것이 아니라 그러한 시들은 그 자체로 즐길 수 있고 동시에 우리 자신도 우리 자신의 이야기를 자기만의 영시로 표현할 수 있다는 용기를 가지는 일이다.

자기 이야기와 감정을 영시로 표현하는 일은 그 자체로 하나의 좋은 도전이자 버킷리스트가 될 수 있고 그러한 과정을 통해서 우리는 자기 자신만의 시인이 될 수 있다.

누군가를 따라 하는 것이 아니라 자기만의 스타일을 계발하고 자기만의 영시 세계를 완성해볼 수 있다. 영미권 시인들의 표현을 따라 하지 않고서도 자기만의 영시를 쓸 수 있다.

영시 작문은 많은 노력이 요구되지만 우리는 영시 작문을 통해서 우리 자신만의 표현의 자유를 획득할 수 있다.

20강 - 과제 : 다섯 편의 주제별 영시 쓰기

이제 실전이다. 다섯 개의 주제를 제시할 테니 다섯 줄의 영시를 완성해보길 바란다.

<활동 20-1> <인간 본연의 존재적 슬픔>에 관한 다섯 줄의 영시를 써 보시오.

<활동 20-2> <꿈과 미래의 모습>에 관한 다섯 줄의 영시를 써 보시오.

<활동 20-3> <자기만의 삶>에 관한 다섯 줄의 영시를 써 보시오.

<활동 20-4> <영원한 사랑의 맹세>에 대해 다섯 줄의 영시를 써 보시오.

<활동 20-5> <자신이 좋아하는 것들>에 관한 다섯 줄의 영시를 써 보시오.

부록. 영문연작시 <Night, Black> 1~10편 수록

<Night, Black>은 '사랑하는 이를 잃은 슬픔'에 관한 총 88편의 영문연작시이다. 이 시집을 출간했던 시절에는 표현의 완숙도가 떨어졌으나 지금 약간의 수정을 통해서 첫 10편을 수록해보겠다.

1

Time in sorrow belongs to the past.

Living in sad moments flows over whole of mine.

Freedom never comes back to the days of memory.

Lived in autumn′s leaves of last year.

Slept in remembrance of your face.

Anything can′t come back on the road of the present.

Sank in the mirror of mistakes of ours.

Sound making the noise is silent.

Sleep in the pond of memory of you.

1

슬픔의 시간은 과거에 속해 있습니다.

슬픈 순간들 속의 삶은 내 삶의 전체를 넘어 흐릅니다.

자유는 기억의 나날들로 다시 돌아오지 않아요.

작년의 가을 잎사귀들 속에서 존재했습니다.

당신의 얼굴을 기억하며 잠들었어요.

어떤 것도 현재의 길로 되돌아오지 않아요.

우리의 실수를 비추는 거울은 가라앉았습니다.

소음을 만들어내는 소리는 조용해요.

당신에 대한 기억의 연못 안에서 잠듭니다.

2

Song of you is ringing like morning's bird.
It is like a white cloud.
Love towards a pure heart never vanishes.
Name of precious moments stays in my heart.
Waiting for you during days of lifetime passed by.
I still wait for you.
There's no time I wait, there's no space I stay.
I stay here where your memory flows.
Only remembrance we loved tears in the days of the past.

Nothing is cruel except your absence.
I stay here calling you though you can't come back.
Only your name whirls in my heart.
Don't take memory of you from me.
I didn't say I love you but I can say you are always in me.
Lost means true.
So let you live in me.

2

당신의 노래는 아침 새의 지저귐같이 울리고 있습니다.
하얀 구름과도 같이.
순수한 마음을 향한 사랑은 결코 사라지지 않습니다.
소중한 순간들의 이름은 내 마음속에 있어요.
일생의 날들 동안 그대를 기다리는 건 지나가 버렸습니다.
여전히 그대를 기다립니다.
기다릴 시간이 없고, 내가 머물 공간도 없습니다.
나는 당신의 기억이 흐르는 곳, 여기에 있습니다.
오직 과거의 날들 속에서 우리가 사랑했던 기억이 눈물짓네요.

그대의 부재를 제외하고는 아무것도 잔인하지 않아요.
나는 당신이 올 수 없다는 것을 알지만 여기에서 당신을 부르며 있습니다.
오직 당신의 이름이 내 마음속에서 회전합니다.
나에게서 당신에 대한 기억을 갖고 가지 말아요.
당신을 사랑한다고 말한 적은 없지만 나는 그대가 내 안에 항상 있다고 말할 수 있어요.
잃어버린 것은 진실을 말합니다.
그러니 내 안에서 살도록 해요.

3

Lost days stay here in my heart.

Sad moment flowed into yesterday's sky.

I don't forget moments with you.

And I hope you wouldn't leave me.

Even in this moment, I am with you.

Time goes on, but shape and gesture of you are stuck in my arms.

Never leave me, but you left me long ago.

In our young days, we were both young.

I became old from the day you left me.

Years have flowed but the years left me in a dark cave.

Please don't go leaving me alone.

I sleep in my bed alone, today, as well.

The time of night is so long.

3

잃어버린 날들은 여기 내 마음속에 머물고 있어요.
슬픈 순간은 어제의 하늘 속으로 흘러갔습니다.
나는 그대와 함께 했던 순간들을 잊지 않아요.
그리고 나는 그대가 나를 떠나지 않기를 바라고 있어요.
이 순간 속에서도 나는 그대와 함께 있습니다.
시간은 흘러가지만, 그대의 모습과 몸짓은 내 품에 박혀있어요.
나를 떠나지 마세요, 그러나 당신은 오래전에 내 곁을 떠났습니다.

우리의 젊은 나날들 속에서, 우리는 둘 다 젊었었습니다.
나는 그대가 나를 떠난 날로부터 나이가 들었습니다.
세월이 흘렀고 세월은 나를 어두운 동굴 속에 남겨두었습니다.
제발 나를 혼자 남겨둔 채 떠나지 마세요.
오늘도 혼자서 잠자리에 듭니다.
밤의 시간은 그렇게나 긴 것을.

4

It rains on the street covered with a gray color.

It rains, rains into the past, flesh of past love.

Rain draws a shape from the dim memory of you.

It isn′t a clear image but it is alive in my heart.

I saw you at that time and took your hand.

And we walked in the forest where a lot of fallen leaves are.

It was autumn, and we fell in love.

It′s true we loved each other.

Time is cruel.

Every moment disappeared.

Time is, but, considerate.

Every moment with you is preserved in my heart.

4

잿빛 색채로 덮인 거리에 비가 내립니다.

비는 과거의 사랑의 살 속으로, 과거 속으로 스며듭니다.

비는 그대에 대한 희미한 기억으로부터 어떤 모양을 그려냅니다.

그건 분명한 이미지는 아니지만 내 마음속에 살아있습니다.

나는 그때의 그대를 보았고 그대의 손을 잡았습니다.

그리고 우리는 낙엽이 있는 숲속에서 걸었습니다.

가을이었고, 우리는 사랑에 빠져 있었습니다.

우리가 서로 사랑한 것은 사실이지요.

시간은 잔인합니다.

모든 순간들이 사라져버립니다.

시간은 그러나 사려깊기도 합니다.

그대와의 모든 순간이 내 마음속에 보존되었기 때문이에요.

5

Living with your name,

Living with your voice,

Living with memory of you.

I fell into the well named a missing heart.

It becomes a name of desperation.

Despair goes into the dark night.

No breath, no love, any more.

Love has passed over the mountains.

Morning comes again but I can't feel the morning as it is.

Trying something looks foolish.

I would never love again.

Am thinking of your traces, but I wouldn't try find you though in dreams.

5

그대의 이름과 함께 살고,

그대의 목소리와 함께 살고,

그대에 대한 기억으로 살고.

나는 그리워하는 마음의 우물 속에 빠져들었습니다.

그것은 절망의 이름이 되어갑니다.

절망은 어두운 밤 속으로 들어갑니다.

호흡도 없고, 사랑도 더는 없습니다.

사랑은 산 너머로 지나갔습니다.

아침이 다시 오지만 나는 아침을 그것 자체로 느낄 수 없습니다.

무언가를 시도하는 것도 어리석어 보여요.

나는 다시는 사랑하지 않을 거예요.

당신의 흔적을 생각하면서도, 나는 꿈속에서도 그대를 찾으려 하지 않을 거예요.

6

Seed of sorrow was planted in my heart.

After you left, I knew that I get the tree of sorrow.

It started as a small seed but it grew day by day.

Whenever I think and remind of you, it grows more than ever before.

Don't come back, please.

I stand on an unstable root of sorrow.

If you came back, then, I would be scattered like petals in a strong wind.

Because I live in past of you, memory of you.

I can't endure to meet you.

Our time only stayed in the past.

You have to live by your way, and I have to live by my way.

Oh, the night comes. The time of oblivion.

6

슬픔의 씨앗이 내 마음에 심어졌습니다.

그대가 떠난 후, 나는 슬픔의 나무를 갖게 된 걸 알았습니다.

그것은 작은 씨앗에서 시작되어 매일 자랐어요.

내가 그대를 생각하고 떠올릴 때마다, 그것은 이전보다 더 자라요.

돌아오지 말아요, 제발.

나는 슬픔의 불안정한 뿌리 위에 서 있어요.

만약 당신이 돌아온다면, 그땐, 나는 강한 바람 속의 꽃잎들처럼 흩어져 버릴 거예요.

왜냐하면 나는 당신의 과거, 당신에 대한 기억 속에 살고 있어요.

나는 당신을 만나는 게 힘들어요.

우리의 시간은 오직 과거 속에만 있거든요.

당신은 당신의 길을 걸어야 하고 나는 나의 길을 걸어야 해요.

오, 밤이 오네요. 망각의 시간이.

7

Under the memory of you,

I dream the glory of past.

Love is only once in the past.

Glory of love slept under the cat′s toe.

Seeing your eyes reflects your love towards me.

Time gives me an endless love.

Though you are not here beside me,

I have an endless love.

The memory changes into the infinite faces.

I meet the different faces of memory day by day.

Snow came here on your shadow.

I′ll take your gray shadow while times will come.

When love finished, love begins sadly.

7

당신에 대한 기억 아래에서

나는 과거의 영광을 꿈꿉니다.

사랑은 과거 속에 단 한 번 존재합니다.

사랑의 영광은 고양이의 발가락 아래에서 잠들었어요.

당신의 눈을 보면 나를 향한 당신의 사랑이 느껴져요.

시간은 끝없는 사랑을 줍니다.

비록 당신이 내 곁에 여기 없어도,

나는 끝없는 사랑을 갖고 있습니다.

기억은 무한한 얼굴들로 바뀝니다.

나는 매일 기억의 다른 얼굴들을 만납니다.

당신의 그림자 위에 눈이 왔습니다.

나는 때가 올 동안에 당신의 잿빛 그림자를 가질 것입니다.

사랑이 끝나면, 슬프게도 사랑이 시작됩니다.

8

I don′t believe death is the end between us.

You went inside the death, but times with you are still alive here me.

Love becomes solid.

It has a permanent firmness, not being shaken in the wind.

The wind blows.

The missing heart flows in the river of eternity.

Love slept under the sorrow.

8

나는 죽음이 우리 사이의 끝이 아니라고 생각해요.

당신은 죽음 안으로 들어갔지만, 당신과의 시간들은 여전히 여기 내 안에 살아있어요.

사랑은 견고해집니다.

그것은 영원한 단호함을 갖고 있고 바람에 흔들리지 않습니다.

바람이 붑니다.

그리움의 마음은 영원의 강으로 흐릅니다.

사랑은 슬픔 아래에서 잠들었습니다.

9

You stay with me.

I don't feel any sorrow about you.

Why do I stay here without a sense of emotion?

It may be I fell into an extreme pain.

Even any wind can't make any movement.

Sorrow belongs to the past.

Sorrow is beside me, as well.

Sorrow will stay in my heart.

Where are you on earth?

I have seen all places but you aren't.

You live in the moments you stayed.

I touch the moments you stayed but it is scattered.

Though season is changed, you are not here.

Birds on the branches sing though you are not here.

But everything here rotates around you.

Ah, you are still with me.

9

당신은 나와 함께 있습니다.
나는 당신에 관한 어떤 슬픔도 느끼지 않습니다.
왜 나는 감정 없이 여기에 머물러야 합니까?
나는 아마도 극단적인 고통에 빠진 것 같아요.
심지어 어떤 바람도 어떤 움직임을 만들지 못해요.
슬픔은 과거에 속한 거랍니다.
슬픔은 또한 내 곁에 있어요.
슬픔은 내 마음에 머물 거예요.
당신은 도대체 어디에 있나요?
모든 장소들을 보아도 당신은 없는걸요.
당신은 당신이 머물렀던 순간들 속에 살고 있어요.
당신이 머물렀던 순간들에 손을 대지만 그건 흩어지네요.
계절이 바뀌어도 당신은 여기에 없네요.
당신이 여기에 없어도 나뭇가지 위의 새들이 노래를 하네요.
그러나 여기의 모든 것이 당신 주위로 회전해요.
아, 당신은 여전히 내 곁에 있네요.

10

Give me your grace and save me.

Shout towards you now falls into no sound.

I am tired.

I can′t do anything without you.

And you know it already.

You promised me you would come back soon.

The promise is broken and you are nowhere.

Today I dreamed you smile at me.

As time goes, you become blurred.

One seed of a missing heart is planted, today, again.

10

나에게 당신의 은혜를 베풀어 나를 구원해주세요.
당신을 향한 외침은 아무 소리도 나지 않아요.
나는 지쳤어요.
당신 없이 나는 그 무엇도 할 수 없어요.
그리고 당신은 그것을 이미 알아요.
곧 돌아오겠다고 약속했었지요.
그 약속은 깨어지고 당신은 어디에도 없어요.
오늘 나는 당신이 나에게 미소를 짓는 꿈을 꾸었어요.
시간이 지날수록, 당신은 흐려집니다.
그리운 마음의 씨앗이 오늘 다시 심깁니다.

영시 쓰기 클래스

발　행 | 2024년 5월 22일
저　자 | 장현정
펴낸이 | 한건희
펴낸곳 | 주식회사 부크크
출판사등록 | 2014.07.15.(제2014-16호)
주　소 | 서울특별시 금천구 가산디지털1로 119 SK트윈테크타워 A동 305-7호
전　화 | 1670-8316
이메일 | info@bookk.co.kr

ISBN | 979-11-410-8553-7

www.bookk.co.kr